乖乖熊
和大怪物

[英]大卫·麦基/著·绘　柳漾/译

长江出版传媒　长江少年儿童出版社

"安吉拉,简阿姨给你寄了一只乖乖熊。"妈妈说。
"可我不喜欢乖乖熊,"安吉拉说,"我想要一只大怪物。"

"大家都喜欢乖乖熊,"妈妈说,"它们毛茸茸的,多暖和啊!"
"可是,大怪物又大又壮又酷,"安吉拉说,
"我想要一只大怪物。"

晚上，爸爸和妈妈出去了。
安吉拉准备去睡觉，保姆在客厅里看电视。

突然,安吉拉房间的窗口出现了一只大怪物。
"你好,安吉拉。"大怪物说,"我是你的大怪物。"
"太棒了!"安吉拉说。"不过这是什么味道?真难闻!"她想。

"这是什么?"大怪物跳上床时,发现了乖乖熊。
"噢,就是一只无聊的乖乖熊。"安吉拉笑着回答。

"它可以和我们一起玩野蛮游戏。"大怪物说。
"噢,太酷了,野蛮游戏!"安吉拉欢呼道。

"我想先吃点儿东西。"大怪物说。
安吉拉碰到大怪物又黏又滑的手臂时,不禁浑身一颤。
"这才是怪物的手。"她想。大怪物跺着脚走下楼去。

"安吉拉,安静一点儿!"保姆喊道,
她把电视机的声音调大了一些。

在厨房,冰箱和食品柜被大怪物一扫而空。

它做了怪物三明治，吃光了所有的东西，连花都吃掉了。

吃完了东西，大怪物发现水池下面有些颜料，
于是他开始装饰厨房。

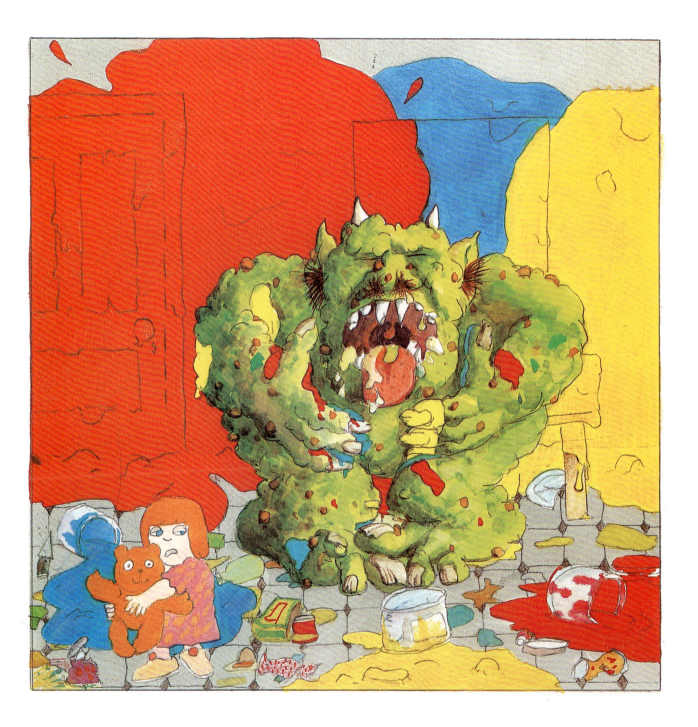

突然,大怪物发出一声大大的咆哮。

"安吉拉,安静!"保姆喊道,
她把电视机的声音又调大了一些。

"家里变得乱糟糟的了!"安吉拉抱怨道。
"你说乱糟糟?"大怪物说,"我们马上就开始野蛮游戏!"
"你太可怕了!"安吉拉说,"要是爸爸妈妈看到就惨了!"

"不可能!"大怪物吼道,"小心我吃了他们。要是你再嘀咕,我把你也吃掉!大怪物什么事都能做出来。"

"不对,有一样不能。"乖乖熊说,
"你不能像我一样毛茸茸的,又舒服又暖和。"

"可是你也当不了大怪物,无聊的乖乖熊。"大怪物咆哮着说,"我要把你扔得远远的,永远也回不来!"

"你说什么?"乖乖熊低声吼道,"你再说一次?"

乖乖熊的身体突然越变越大。

"现在,是我要把你扔得远远的,永远也回不来!"

乖乖熊一边低声咆哮,一边抓起大怪物,走到屋外的院子里。

乖乖熊抓着大怪物,在头顶转啊转……

乖乖熊大叫一声，用尽全力将大怪物扔了出去，
扔得很远很远，保证再也回不来了。

"安——吉——拉!"保姆在屋里大喊。

"你真了不起!"安吉拉说。乖乖熊慢慢变回了原来的样子。
"可是,要是爸爸妈妈发现了,怎么办?"

"走吧,我们回床上去。"乖乖熊说,
"也许他们根本不会发现。"

大卫·麦基
(David McKee)

  英国知名绘本作家，在欧洲素有"当代寓言大师"的称誉。1935年出生于英国德文郡，中学毕业后，进入普利茅斯艺术学院（Plymouth College of Art）接受正统的绘画训练，毕业后，曾以漫画家及插画家的身份活跃于伦敦的杂志界。他的绘画风格颇受美国漫画家索尔·斯坦伯格（Saul Steinberg）和法国漫画家安德烈·弗朗索瓦（Andre Francois）的影响。

  小时候经常听母亲和老师说故事，耳濡目染的大卫长大后也喜欢说故事给朋友听，尤其在艺术学院当学生的时候，常常自己编故事。当他发现"绘本"这种艺术创作形式的时候，便很自然地踏上了创作之路。他在作品中成功地塑造出许多有趣的角色，其中最著名的当属《花格子大象艾玛》系列，这套童书迄今已转译为二十多种语言。另外，他也为电视公司制作了许多儿童节目。

  大卫·麦基曾感慨绘本被贴上了"儿童专属"的标签，希望能同时为小孩和大人创作，也因此，他的作品向来都是"老少咸宜"：既写给天真烂漫的孩子，也写给那些拥有童心的大人。此外，他的作品也充满了英国人独特的幽默感，并擅长在故事中营造思考空间。